Sergueï Prokofiev

PIERRE &leLOUP

raconté par François Morel

interprété par l'**Orchestre National de France**, sous la direction de **Daniele Gatti**

Illustrations et conception graphique de Pierre-Emmanuel Lyet et Gordon

hélium radio france éditions

Écoutez bien, et ouvrez grand vos yeux. Voici l'histoire de Pierre et le Loup.

L'histoire vous sera contée en musique par les instruments de l'orchestre.

Comment? C'est très simple:

Une histoire pas comme les autres. Écrite sur un livre pas comme les autres.

dans le livre, chaque personnage est représenté par un instrument qui joue

une petite phrase musicale facile à retenir. Essayons.

Par exemple, l'oiseau ami de Pierre,

ce sera la FLUTE légère et gazouillante.

Le malheureux canard,

le HKUTMOS mélancolique.

Et le chat aux pattes de velours,

la douce CLARINETTE.

Quant au grand-père qui bougonne dans sa barbe,

c'est le

grondeur.

À la fin, les chasseurs tireront des coups de fusil!
Vous entendrez alors les

CRS C

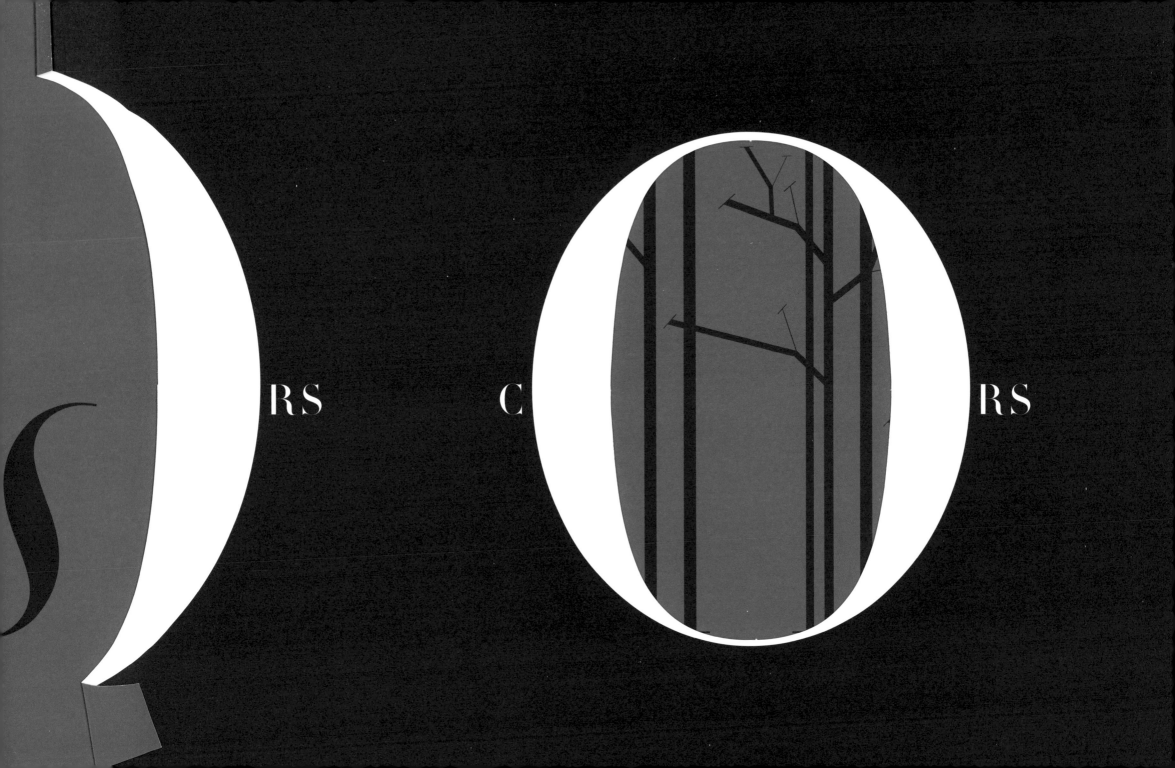

Mais nous allions oublier Pierre, notre héros.
Le voici représenté par les instruments à cordes de l'orchestre.

CORDES CORDES CORDES CORDES CORDES CORDES

CORDES CORDES CORDES CORDES CORDES CORDES

CORDES CORDES CORDES CORDES CORDES CORDES

CORDES CORDES CORDES CORDES CORDES

Alors, vous vous rappelez bien tous les personnages ?

l'oiseau,

le canard,

le chat,

le grand-père,

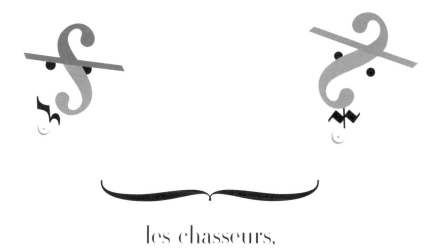

les chasseurs,

Pierre

... et le loup!

Et maintenant, voici l'histoire:

un beau matin, Pierre   ouvrit la porte du   ja rdin.

Sur la plus haute branche d'un grand arbre était perché un petit oiseau, ami de Pierre.

"Tout est calme ici", gazouillait-il gaiement.

Un canard arriva bientôt en se dandinant, tout heureux de pouvoir s'échapper de la maison. "Et si j'allais un tour?" se dit-il.

Amusé, le petit oiseau vint se poser tout près de lui. "Mais quel genre d'oiseau es-tu donc, qui ne sait voler?" dit-il en haussant les épaules.

«Quel genre d'oiseau es-tu qui ne sais pas patiner?» L'oiseau s'élança sur la mare... Ils discutèrent longtemps...

à quoi le canard répondit :

...le canard glissant sur la mare, le petit oiseau voltigeant autour.

Soudain quelque chose dans l'herbe attira l'attention de Pierre.

"attention!" cria Pierre, et l'oiseau aussitôt s'envola.

Du milieu de la mare, le canard lançait au chat

des "coin coin" indignés.

Le chat rôdait autour de l'arbre en se disant :
"Est-ce la peine de grimper si haut ?
Quand j'arriverai, l'oiseau se sera envolé."

Tout à coup, grand-père apparut. Il était mécontent de voir que Pierre avait quité la maison.

"L'endroit est dangereux,

et si le loup sortait de la forêt,

que ferais-tu?"

Pierre ne fit aucun cas des paroles de son grand-père,

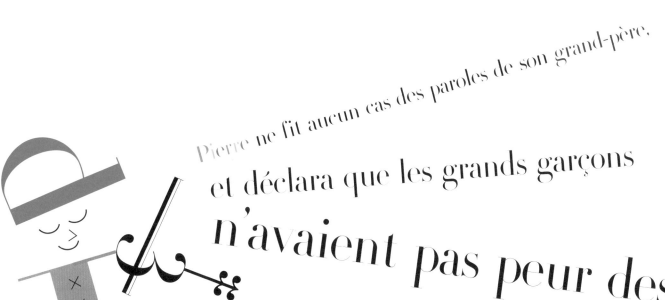

et déclara que les grands garçons

n'avaient pas peur des loups.

Grand-père prit Pierre par le bras, et le ramena à la maison.

Il était temps.

En un éclair, le chat grimpa dans l'arbre.
Le canard se précipita hors de la mare en caquetant.

Mais, malgré tous ses efforts,
le loup courait trop vite.

Le voilà qui approche, de plus en plus.
Il le rattrape,

Et maintenant, voici où en étaient les choses : le chat était assis sur une branche, l'oiseau sur une autre – à bonne distance du chat, bien sûr – tandis que le loup faisait le tour de l'arbre et les regardait tous les deux avec des yeux gourmands. Pendant ce temps, Pierre observait ce qui se passait. Il grimpa sur la branche qui s'étendait jusqu'au mur !

Pierre dit alors à l'oiseau:
"Va voltiger autour de la gueule du loup, mais prends garde qu'il ne t'attrape!"

Oh!

que l'oiseau agaçait le loup,

et que le loup avait envie de l'attraper !

Pierre décrocha une corde de son violon, et la descendit tout doucement, tout doucement, tout doucement, tout doucement, tout dou

Il attrapa le loup par la queue

et tira de
toutes ses
for

C'est alors que les chasseurs sortirent de la forêt.

PAN PAN PAN PAN

Ils suivaient les traces du loup et tiraient des coups de fusil.

cria :
et moi avons déjà attrapé le loup !

Aidez-nous à le ramener chez grand-père. "

Le grand-père, mécontent, hochait la tête en disant : "Et si Pierre n'avait pas attrapé le loup, que serait-il arrivé?"

...Et maintenant... admirez LA

Au-dessus d'eux, l'oiseau voltigeait
en gazouillant gaiement:
"Comme nous sommes braves,
Pierre et moi,
regardez ce que nous avons attrapé!"

Pierre en tête!

MARCHE TRIOMPHALE!

Et si vous écoutez attentivement, vous entendrez le canard caqueter dans le ventre du loup car, dans sa hâte, le loup l'avait avalé...

vivant!